Ar Bwys

Mererid Hopwood

Lluniau Susie Grindey

Gomer

Argraffiad cyntaf – 2007
Ail argraffiad – 2013

ISBN 978 1 84323 748 8

Ⓗ y cerddi: Mererid Hopwood, 2007 ©
Ⓗ y lluniau: Susie Grindey, 2007 ©

Dymuna'r cyhoeddwyr gydnabod cymorth
Cyngor Llyfrau Cymru.

Argraffwyd yng Nghymru gan Wasg Gomer,
Llandysul, Ceredigion SA44 4JL
www.gomer.co.uk

Waeth pa mor fach wyt ti,
gelli fod yn ffrind mawr.

Cynnwys

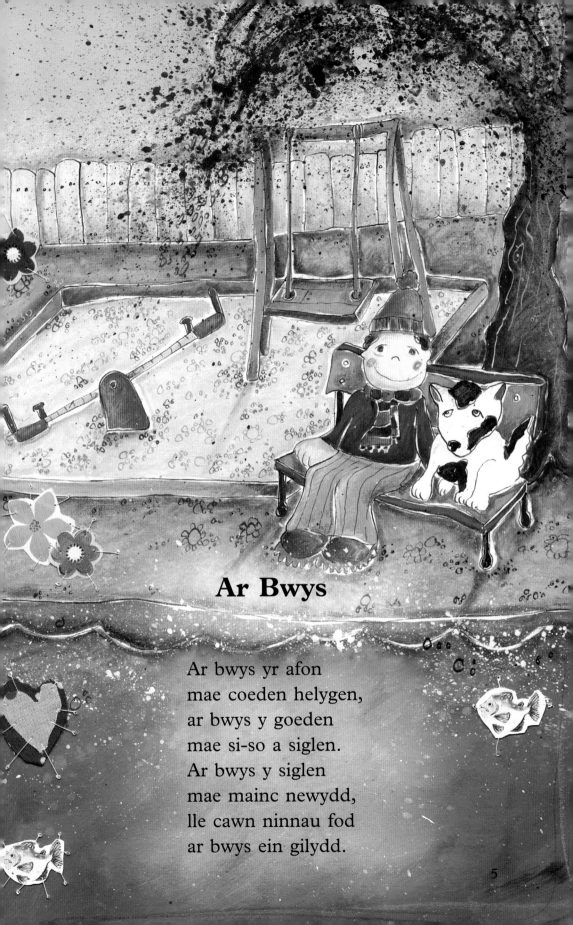

Ar Bwys

Ar bwys yr afon
mae coeden helygen,
ar bwys y goeden
mae si-so a siglen.
Ar bwys y siglen
mae mainc newydd,
lle cawn ninnau fod
ar bwys ein gilydd.

Babi Bach

Un babi bach
a'i drwyn yn smwt,
ei goesau'n fyr
a'i draed yn dwt.

Un babi bach
yn wên i gyd,
y babi lleiaf
o blant y byd.

6

Un babi bach
ar goll mewn siôl,
yn cysgu'n drwm,
a chlyd mewn côl.

Ac yna WAAAAAA!!!!!
Mae'r babi'n gawr . . .
Os yw e'n fach,
mae'i geg e'n FAWR!!!!!

7

Dwli Oedolion

Mae Mam yn fy ngalw i'n pwt
a dyna beth ddwed Anti Bel,
i Taid, rwyf fi'n hogyn neu weithiau yn was,
i Nain, rwyf fi'n gariad bach del.

Mae Dad yn fy ngalw i'n mwrc,
Macarthlip yw ffefryn Mam-gu,
neu weithiau pen dyn, neu'n waeth, siwgwr lwmp,
a bachgen bach gore Da-cu.

Rwyf wedi diflasu ers tro
ar 'fath ddwlu gan bob hwn a hon,
pam yn y byd na ddysgan nhw i gyd
mai f'enw yn syml yw John?

Dim Ond Digwydd

Dim ond digwydd edrych 'nes-i,
pan neidiodd y cwpan o'r sinc,
dim ond digwydd, ac yna'n ddirybudd
disgynnodd y botel inc.

Dim ond digwydd mynd heibio o'n-i,
pan syrthiodd y plat i'r llawr,
dim ond digwydd, ac yna'n annisgwyl
simsanodd y sosban fawr.

A dim ond digwydd bod yno o'n-i,
pan hedfanodd y menyn a'r jam,
dim ond digwydd eu gwylio yn glanio
ar slipers newydd Mam.

Mae bron yn amhosib credu
mod i rywsut yn yr union le
pan fo'r fath annibendod ym mhobman –
a minnau'n digwydd cael te.

9

Ffrindiau Bach a Mawr

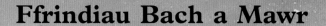

Pan fydd y dydd yn gwenu
a phawb yn chwarae'n iach,
peth digon hawdd bryd hynny
yw bod yn ffrindiau bach.

A phan ddaw Gwen i'r ysgol
mewn 'sgidiau newydd sbon,
peth hawdd ar ddiwrnod felly
yw bod yn ffrind i hon.

Neu os bydd Gwyn yn dathlu
ei barti yn y dre,
bydd bechgyn lond y dosbarth
am fod yn ffrind ag e.

Ond weithiau, pan fydd rhywrai
fel Gwen neu Gwyn neu fi
heb ddim byd oll i'w rannu,
cofia fod d'angen di.

Ac os bydd rhywun rywbryd
â'i ddagrau fel y glaw,
mae d'angen di yn gwmni
i gydio yn ei law.

Oherwydd mae gwir ffrindiau
yn ffrindiau drwy bob awr,
a dyna yn y diwedd
yw bod yn ffrindiau mawr.

Pennill Cwestiwn

Beth sy'n fân am yr oriau cynnar?
pam fod y bore'n fach?
a pham fod codi i ddweud hwyl fawr
run peth â chanu'n iach?
Pwy sy'n dweud fod gan gloc wyneb
ond dim clust na thrwyn, 'm ond bys?
Ac i ble mae amser yn hedfan o hyd
ac a ddaw e nôl ar frys?
A phwy yn y byd a benderfynodd
fod gan y mynydd droed?
Weles i ddim unrhyw fynydd na bryn
yn cerdded cam erioed.
Rwy'n gwybod fod fy holl gwestiynau
yn drysu Dad a Mam,
ond onid gwaith pob plentyn bach
yw holi sut a pham?

Ysgol yr Adar Bach

Mae'r diwrnod wedi deffro
a'r blodau wedi gwisgo
a'r adar bach yn dawnsio
yn yr ardd.

Mae Mrs Dryw yn canu:
'Dewch blantos, dewch i ddysgu,
mae'n amser dod i'ch gwersi
yn yr ardd.'

A heddiw bydd y cywion
yn dysgu dala mwydon
a chasglu mwyar duon
yn yr ardd.

Ac ar ôl bwyta'r cyfan,
cânt fynd i goed y berllan
i ddysgu sut mae hedfan
dros yr ardd.

Stori'r Wlad

Rwyf erbyn hyn yn eitha' mawr,
rwy'n gallu dweud yr amser,
a gwneud rhifyddeg pen heb help,
a wir, rwy'n darllen llawer.

Ond mae 'na stori yn y wlad
na fedraf i mo'i deall –
er gweld ei holl lythrennau'n glir,
mae'r geiriau'n rhywbeth arall.

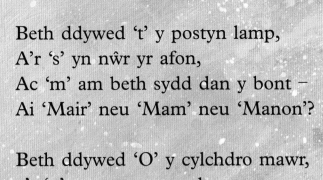

Beth ddywed 't' y postyn lamp,
A'r 's' yn nŵr yr afon,
Ac 'm' am beth sydd dan y bont –
Ai 'Mair' neu 'Mam' neu 'Manon'?

Beth ddywed 'O' y cylchdro mawr,
a'r 'n' yn nrws y capel,
A beth yw'r 'H' ym mharc y dre
A pham mae'i llais mor dawel?

Ryw ddydd, pan fyddaf i yn fwy,
rwy'n siŵr y bydda' i'n gallu
deall geiriau'r wlad i gyd . . .
tan hynny, bydd raid dyfalu.

Dan Gwely

Rwy'n sefyll yn nrws fy stafell
am eiliad, cyn neidio ymhell
dros y carped tua'r gwely,
am fod Dan yn fwgan i fi.

Rwy'n siŵr ei fod yn aros
i'm bwyta yng nghanol y nos,
am mai fi sydd ar y menu
lle mae Dan y bwgan yn byw.

Ond pan ddaw'r bore i'm deffro
does dim sôn am y bwci-bo,
rwy'n gweld yn iawn heb dywyllwch
NAD OES DIM DAN GWELY 'MOND LLWCH!

Darllen Stori

Rwy'n teimlo'n flin am Mam a Dad
dy'n nhw ddim yn dda am ddarllen,
wrth adrodd stori yn y nos
maen nhw'n troi rhyw saith tudalen.

Pe bydden nhw â sbecs Mam-gu
mi fyse hi'n llai anodd,
mae hithau'n darllen pob un gair
ar bob tudalen, rywfodd.

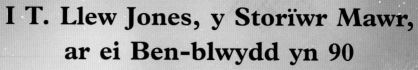

I T. Llew Jones, y Storïwr Mawr,
ar ei Ben-blwydd yn 90

Ga' i lais y llygaid gleision?
Ga' i iaith y stori i gyd?
Ga' i wres yr hen hanesion?
Ga' i'r hwyl, ga' i'r geiriau hud?

Ga' i hedfan 'da'r gwylanod?
Ga' i weld y traethau gwell?
Ga' i alw 'Nghantre'r Gwaelod
a bae yr ynys bell?

Ga' i aros iddi nosi?
Ga' i sgwrs? – (Pwy gysgu wir . . .
mae seiat Twm Siôn Cati
yn well o bara'n hir!)

Ga' i'r haf yng Nghwm Alltcafan?
Ga' i'r wig a'r awyr iach,
y nef ar lan yr afon,
a'r byd ym Mhont-dŵr-bach?

A chaf, fe'i caf, y cyfan,
o gael iaith f'arwr glew,
yr hwn sy'n stori 'i hunan,
y llais sydd yn T. Llew.

Mathemateg Mam

Dwi weithiau'n camfihafio,
dim ond weithiau, cofiwch chi,
a dyna pryd mae hi'n sibrwd:
'Rwy'n cyfri – lan i dri!'

Yn sydyn, mae hi'n dechrau
gydag 'un, un-a-hanner' yn chwim,
ond yna mae'n simsanu . . .
'dau . . . dau-a-hanner . . .' . . . Dim.

Dwi'n ei gwylio hi'n ofalus,
yn ofnus â dweud y gwir,
yn aros ac yn aros,
ac O! mae'r oedi'n hir.

Dwi'n bihafio'n well na pherffaith
wrth ddisgwyl iddi hi
fynd o ddau-a-hanner
yr holl ffordd lan i dri.

Ond 'dyw hi byth yn cyrraedd,
a dwi'n dechrau amau pam,
falle nad yw hi'n medru!
Druan fach o Mam.

Y! 'Molchi?

'Molchi?! Dwi ddim eisiau 'molchi!
Dwi'n hoffi bod fel hyn,
mae'n well gen i fy nghoesau'n frwnt,
dwi ddim eisiau pengliniau gwyn.

'Molchi?! Dwi ddim eisiau 'molchi
a gwynto fel rhosod pinc,
mae'n gas gen i roi 'nhroed mewn bath
a'm llaw yn nŵr y sinc.

Os gwelwch chi'n dda, am heno,
ga' i fynd i'r gwely'n y baw?
A bore fory, fe af i'r ardd
ac ymolchi mewn cawod o law.

Perygl! Gwaith Cartref!

Rwyf wedi derbyn rhybudd
yn llawysgrifen Miss
fod gwaith cartref yn beryglus:

ysgrifennodd o dan f'atebion,
mewn inc – a hwnnw'n goch –
'RHAID I TI FOD YN FWY GOFALUS'.

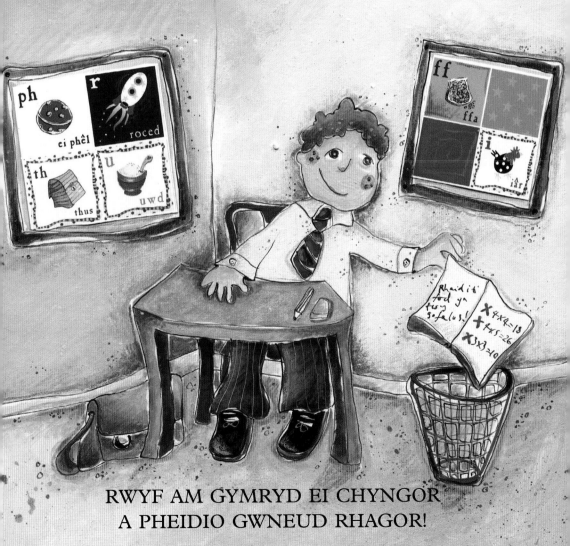

RWYF AM GYMRYD EI CHYNGOR
A PHEIDIO GWNEUD RHAGOR!

Anturiaethau'r Awyr Uwchben

Er edrych, ni welais wefusau'r gwynt
yn chwythu ei ana'l yn gynt ac yn gynt.

A chwiliais, heb weled dwy lygad y glaw –
er dala'u dagrau yng nghledr fy llaw.

Er syllu, ni welais yn unman y switsh
sy'n troi'r dydd yn olau a'r nos yn ddu-bitsh,

na'r botwm sy'n cynnau'r lleuad a'r haul –
(rwy'n dechrau rhyw amau nad oes 'run i'w gael.)

Ni welais 'run rhewgell yn llawn eira mân,
na'r un fellten ffyrnig yn cael glo ar ei thân.

A beth am yr enfys sy'n lliwiau i gyd?
A welais i'r peintio? Twt! Naddo! – Dim byd! . . .

Ond pan ddaw'r cymylau, rwy'n gweld, ar fy ngwir,
fyddin o ddreigiau rhwng yr awyr a'r tir.

A chyn pen dim amser mae'r ddraig yn troi'n gi,
a'r ci yn troi'n ddafad – a weli di hi?

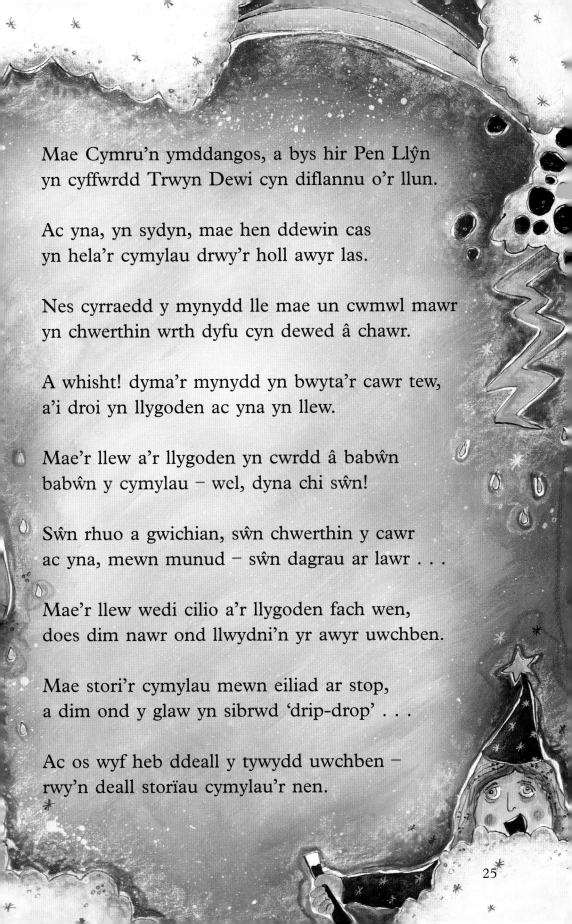

Mae Cymru'n ymddangos, a bys hir Pen Llŷn
yn cyffwrdd Trwyn Dewi cyn diflannu o'r llun.

Ac yna, yn sydyn, mae hen ddewin cas
yn hela'r cymylau drwy'r holl awyr las.

Nes cyrraedd y mynydd lle mae un cwmwl mawr
yn chwerthin wrth dyfu cyn dewed â chawr.

A whisht! dyma'r mynydd yn bwyta'r cawr tew,
a'i droi yn llygoden ac yna yn llew.

Mae'r llew a'r llygoden yn cwrdd â babŵn
babŵn y cymylau – wel, dyna chi sŵn!

Sŵn rhuo a gwichian, sŵn chwerthin y cawr
ac yna, mewn munud – sŵn dagrau ar lawr . . .

Mae'r llew wedi cilio a'r llygoden fach wen,
does dim nawr ond llwydni'n yr awyr uwchben.

Mae stori'r cymylau mewn eiliad ar stop,
a dim ond y glaw yn sibrwd 'drip-drop' . . .

Ac os wyf heb ddeall y tywydd uwchben –
rwy'n deall storïau cymylau'r nen.

25

Mae Mam . . .

Pan fydd y fan fach hufen iâ
yn dod i'r stryd dan ganu,
mae Mam yn deall geiriau'r gloch:
'Mae'r cyfan wedi'i werthu'.

Pan fydd rhyw helbul yn y tŷ,
mae Mam bob tro yn gwybod
ai ar fy mrawd neu fi mae'r bai
nôl y smotiau ar ein tafod.

A phan fydd Dad ar goll am sbel,
mae Mam yn siŵr o sylwi –
tu ôl i'r sied yng nghefn yr ardd
fod mwg o'i bib yn codi.

Mae Mam yn dweud bod 'deryn bach
yn dod i'r ardd i siarad,
ond nid oes 'deryn yn y byd
'ddwed wrthi pwy yw nghariad.

27

Tri Hedyn Bach

Tri hedyn bach 'run lliw a 'run siâp
yng nghledr fy llaw,
tri hedyn bach yn disgwyl am bridd
a haul a glaw.

Tri hedyn bach 'run lliw a 'run siâp
yn ddwfn yn y tir,
tri hedyn bach â gwreiddyn neu ddau
yn tyfu'n hir.

Tri blodyn bach ar ddechrau mis Mai
yn gweld yr haul,
tri blodyn bach yn estyn yn falch
betalau a dail.

Tri blodyn tlws o'r tri hedyn bach
yn mentro mas,
un blodyn coch, ac un pinc a gwyn,
ac un yn las.

Tri blodyn bach, â'u petalau'n dri siâp
yn dawnsio'n yr ardd,
o'r tri hedyn bach, tair gwên a thri lliw
gwahanol a hardd.

Dianc

Mae man yn nwfn pob mynwes,
lle all wneud y pell yn nes,
yno mewn drâr mae 'na drên
yn aros, neu awyren,
cerbyd hud dim ond i ti
gael hedfan fan a fynni.

Yn hwn cei ddianc heno
ymhell bell, lle bynnag bo
gwlad dy holl ddymuniad mae
ar daith i'th gario dithau,
cer nawr, bob awr mae'n barod
i fynd lle caret ti fod.

Heibio i aber amserau
hir y byd a heibio i'r bae
a rywle, heibio i'r eiliad,
heibio i'r awr, yn barhad
mae man sy'n nwfn pob mynwes,
y lle a wna'r pell yn nes.

Neges Ewyllys Da

Bore da, a sut wyt ti?
Bonjour, ça va? Oui Oui!
¡Hola! ¿qué tal y cómo estás?
Ga' i fod yn ffrind i ti?

Hello! And how are you?
Guten Tag! Hallo! Wie geht's?
Waeth beth yw dy iaith na'th liw na'th lun,
gad i ni fod yn fêts!